SACRA... ...Y
SACRAMENTO, CA 95814

S0-BKY-738

05/2021

Бинк и Голли

Кейт ДиКамилло и Элисон МакГи

Бинк и Голли

Друзья не разлей вода

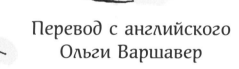

Перевод с английского
Ольги Варшавер

Иллюстрации
Тони Фюсиля

Москва
«Махаон»
2018

УДК 821.111(73)-727-93
ББК 84(4)-80*84
Д44

Дженнифер Робертс, нашей любимой дылде
К. Д.

Любимому Чарли Анкену
А. М.

Стейси, моей лучшей подруге
Т. Ф.

BINK & GOLLIE: BEST FRIENDS FOREVER

by Kate DiCamillo and Alison McGhee

Originally published by Candlewick Press
Published by arrangement with Pippin Properties,
Inc. through Rights People, London and The Van Lear Agency LLC.

Text copyright © 2014 by Kate DiCamillo and Alison McGhee
Illustrations copyright © 2014 by Tony Fucile
© Ольга Варшавер, перевод на русский язык, 2017
© Издание на русском языке.
ООО «Издательская Группа «Азбука-Аттикус», 2017
Machaon®

ISBN 978-5-389-12521-6 (рус.)
ISBN 978-0-7636-7092-4 (амер.)

Содержание

Королевская особа

•

6

Все тебя
переросли?

•

36

Гип-гип-ура!

•

60

КОРОЛЕВСКАЯ ОСОБА

– Я давно подозревала, что в моих жилах течёт королевская кровь, – сказала Голли.

Тётя Наташа
21 сентября 1908 г.

Может, она придумала новый рецепт оладушек?

– Ну? Где оладьи?

– Какие оладьи? – удивилась Голли.

– Так у тебя же новый рецепт! Разве нет?

– Бинк, опять?! У тебя живот работает лучше, чем мозги! Вот, посмотри!

– Кто это? – спросила Бинк.

– Это Наташа, моя двоюродная бабушка, – ответила Голли. – Как видишь, королева!

– Ух ты! – обрадовалась Бинк. – Зови за стол, отметим!

– Мне отныне не пристало готовить, Бинк. Об оладьях можешь забыть.

– Почему?

– Не хочу тебя огорчать, но... королевские особы не готовят. Тем более для других.

– Ах так? – сказала Бинк. – Не хочу
тебя огорчать, но... я иду домой.

– Вот теперь я выгляжу, как подобает королевской особе!

– Бинк, королева намерена тебя посетить, – сказала Голли.

– Какая королева? – спросила Бинк.

– Королева Голли.

– Меня нет дома.

– Ну и ладно. Обозрю своё королевство.

– Мои подданные трудятся не покладая рук!

– Королева благодарит вас за усердную работу!
Не оставляйте стараний!

– Отменный лук! Острый, неповторимый вкус!
Королева обожает лук. Не оставляйте стараний!

– Мистер Экклз! Миссис Экклз! У вас империя, значит – вы императоры! А у меня – королевство! Я теперь королева!

Тук-тук! – постучала Голли.
– Кто там? – спросила Бинк.
– Королева! – объявила Голли.
– Меня нет дома! Забыла? – ответила Бинк.

– В моём королевстве такая грязь...
и мантия промокла насквозь...

– Корона ужасно тяжёлая...

– Королеве так одиноко...

Тук-тук! – постучала Голли.
– Кто там? – спросила Бинк.
– Это я, Голли.

- Голли! Входи! Я так по тебе соскучилась!

35

ВСЕ ТЕБЯ
ПЕРЕРОСЛИ?

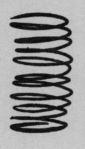

– Бинк, не мешай, пожалуйста, – сказала Голли.

– Я достану, стой спокойно.

– Не лезь, я с пола дотянусь, –
сказала Голли.

– Хороший вопрос, – сказала Бинк.

– Надо подумать, – сказала Бинк.

– Пожалуй, попробую! – решила Бинк.

ПРЕДОСТЕРЕЖЕНИЕ

Требуется сложная сборка

Неукоснительно следуйте инструкции,

иначе...

РОСТ-О-СКОР

ГАРАНТИИ ПРОИЗВОДИТЕЛЯ. Для первоначального покупателя ограниченная гарантия сроком на один год покрывает дефекты в материалах и изготовлении Рост-о-Скора. Шестимесячная ограниченная гарантия распространяется только на детали, прикрепляемые к основанию. Изнашивание пружин ожидаемо, и любой ущерб считается следствием нормального использования.

Настоящая гарантия распространяется на нормальное использование пружин и не распространяется на нерастяжимые детали. Свидетельства любого ремонта, произведённого покупателем, аннулирует данную гарантию.

НАСТОЯЩАЯ ГАРАНТИЯ НЕ ПОДРАЗУМЕВАЕТ И ИСКЛЮЧАЕТ ЛЮБУЮ ОТВЕТСТВЕННОСТЬ ИЗГОТОВИТЕЛЯ ПЕРЕД

– Иначе что?

— Отличная вещь, этот Рост-о-Скор! — сказала Бинк. —
По-моему, он уже работает!

– Привет, Голли, – сказала Бинк. – Замечаешь, как я изменилась?

– Ты? Ни капельки.

– Ни капельки? Где мой Рост-о-Скор?

– Какой ещё ростоскор?

– Рост-о-Скор работает здесь
и сейчас!

– Ты готова к потрясениям, Голли? – спросила Бинк. – Наблюдай! Не пропусти! Действуй!

– Что? Бинк, ты о чём?

ТУК!
ТУК!

– Заходи! – крикнула Бинк.

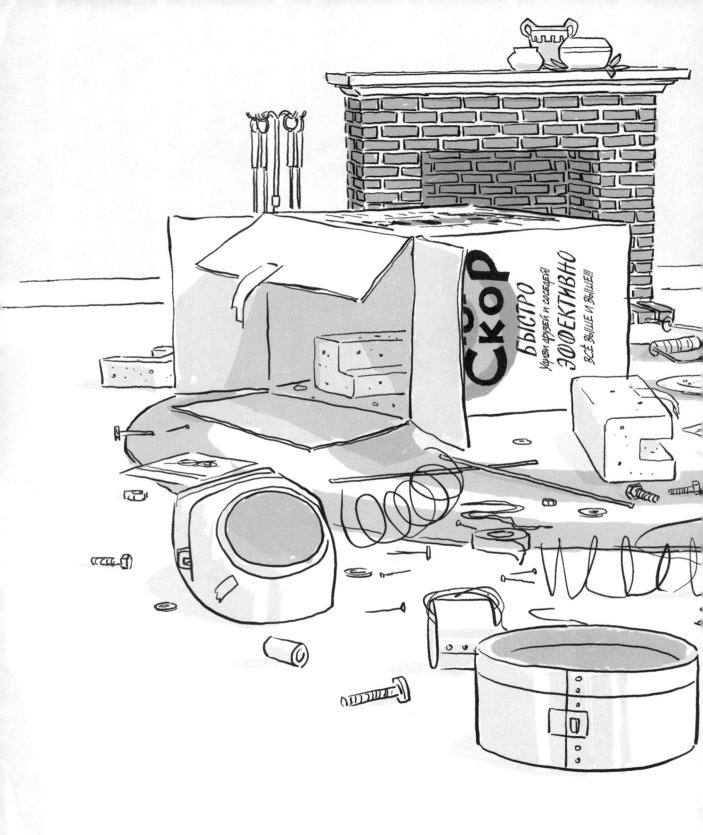

– Бинк, боюсь, что твой Рост-о-Скор
не восстановить, – сказала Голли.

– С дороги! – сказала Бинк. – Не мешай мне мозгами думать.

– Помощь нужна?

– Подай мне деталь 22-C, – велела Бинк.

– А теперь орехового маслица, – сказала Бинк.

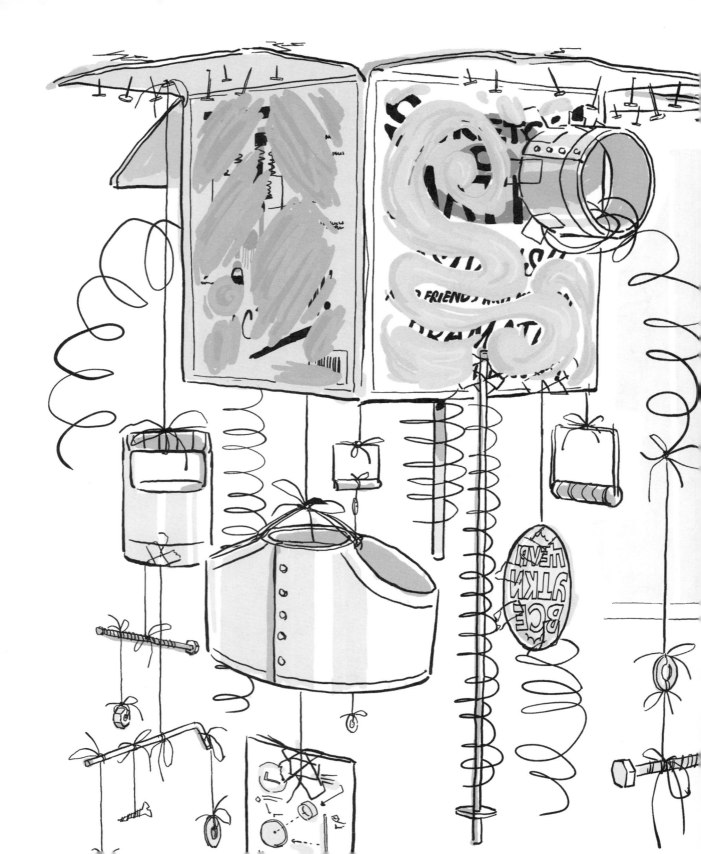

– Знаешь, смотрю я на эту штуку – и прямо чувствую, что расту! – сказала Бинк.

– В этом и есть сила искусства, – подтвердила Голли.

ГИП-ГИП-УРА!

– Бинк, погляди, это Эдна О'Делл со своей коллекцией. Она собирает садовых гномов – из всех стран мира.
– Угу, – отозвалась Бинк.

– А на это посмотри! – сказала Голли. – Самый большой в мире шар из фольги! Рекордный размерчик!

– Угу, – отозвалась Бинк.

– Ого! У какого-то господина Джерома из Фрипорта, штат Нью-Йорк, коллекция стеклянных шариков. Несколько миллионов! Во даёт этот Джером!

– Угу, – пробурчала Бинк.

– Может, нам тоже завести коллекцию? – сказала Бинк.

– Как ты здорово придумала, Бинк! – обрадовалась Голли. – Тогда и наши фотографии попадут в Книгу рекордов.

– А что мы можем собирать? – Бинк задумалась.

– Давай сходим в «Империю очарования» и прикинем, что будем коллекционировать, – предложила Голли.

– Чего желаете? – спросил
мистер Экклз.
– Чего желаете? – спросила
миссис Экклз.
– Желаем стать коллекционерами, – сказала Голли.

– Мы чего-нибудь насобираем, поставим мировой рекорд, и про нас напишут в такой книжке, – объяснила Бинк.

– О! У нас просто рай для коллекционеров! – воскликнул мистер Экклз. – Хотите собирать резиновых червяков? А наклейки с золотыми звёздами?

– Может, лучше сувенирные напёрстки? – предложила миссис Экклз. – Или колечки, сделанные из ложек?

– Мне нравятся наклейки с золотыми звёздами, – сказала Бинк. – Давай с них начнём.

– Десятый ряд, – сказал мистер Экклз.
– Десятый стеллаж, – сказала миссис Экклз.

– Сто пакетиков по шестьдесят шесть звёзд в каждом – итого шесть тысяч шестьсот наклеек с золотыми звёздами! – подытожила Бинк. – Ни у кого в мире столько нет! Мы победили!

– Бинк, я тут кое-что обнаружила... неприятное... Смотри: это Селеста Паскаль из города Петалума, что в Калифорнии. У неё весь её дом обклеен золотыми звёздами. Гип-гип-ура, Селеста...

– Гип-гип? – уточнила Бинк.

– Ура, – добавила Голли. – Так поздравляют победителя.

– Пожалуй, у неё больше звёзд... – Бинк расстроилась.

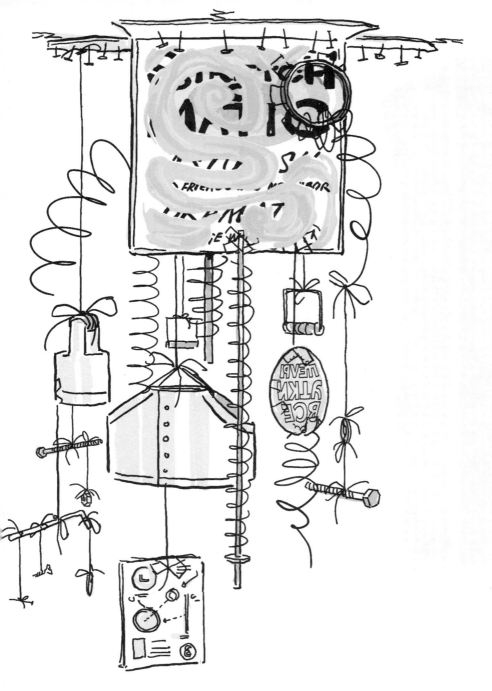

– Нет у нас домика, обклеенного золотыми звёздами, – вздохнула Голли.

– И миллиона стеклянных шариков у нас тоже нет, – вздохнула Бинк. – В Книгу рекордов нам не попасть. Фотографировать нас никто не станет.

– Станет! Я знаю кто! – сказала Голли.

– Улыбнитесь! – велел мистер Экклз.
– Пошире! – велела миссис Экклз.

Об авторах и художнике

Кейт ДиКамилло – автор известных во всём мире книг: «Спасибо Уинн-Дикси», «Парящий тигр», «Приключения мышонка Десперо», «Удивительное путешествие кролика Эдварда», «Как слониха упала с неба», «Флора и Одиссей», «Райми Найтингейл – девочка с лампой», серии книг о свинке Марси Уотсон. Кейт ДиКамилло дважды удостоена медали Ньюбери и премии Доктора Сьюза, её произведения неоднократно входили в список бестселлеров по версии «Нью-Йорк таймс» и были финалистами Национальной книжной премии. Кейт была избрана Национальным послом литературы для детей и юношества (2014–2015). Она живёт в Миннеаполисе, штат Миннесота.

Элисон МакГи – автор книжек-картинок, стихотворений и романов для всех возрастов, лауреат множества литературных премий. Элисон также живёт в штате Миннесота.

Тони Фюсиль – автор-иллюстратор, более двадцати лет он иллюстрирует книги и придумывает персонажей многочисленных мультфильмов, в том числе «Русалочка», «Король-лев», «Поиски Немо» и «Суперсемейка». Тони живёт неподалёку от Сан-Франциско.

Литературно-художественное издание

Для среднего школьного возраста

Кейт ДИКАМИЛЛО и Элисон МАКГИ

БИНК И ГОЛЛИ
ДРУЗЬЯ НЕ РАЗЛЕЙ ВОДА

Весёлые истории

Иллюстрации Тони Фюсиля

Ответственный редактор *А. Ю. Бирюкова*
Художественный редактор *П. Е. Подколзин*
Технический редактор *К. А. Путилова*
Корректор *Т. И. Филиппова*
Компьютерная верстка *И. И. Лысова*

Подписано в печать 25.12.2017. Формат 84×100 $^1/_{16}$.
Бумага офсетная. Гарнитура «Pallada».
Печать офсетная. Усл. печ. л. 8,58.
Тираж 3000 экз. D-DL-20555-01-R. Заказ № 0517/18.
Дата изготовления 15.01.2018.

ООО «Издательская Группа «Азбука-Аттикус» –
обладатель товарного знака Machaon
119334, Москва, 5-й Донской проезд, д. 15, стр. 4

Филиал ООО «Издательская Группа «Азбука-Аттикус» в г. Санкт-Петербурге
191123, Санкт-Петербург, Воскресенская набережная, д. 12, лит. А

ЧП «Издательство «Махаон-Украина»
Тел./факс (044) 490-99-01
e-mail: sale@machaon.kiev.ua

Отпечатано в соответствии с предоставленными материалами
в ООО «ИПК Парето-Принт». 170546, Тверская область,
Промышленная зона Боровлево-1, комплекс № 3А
www.pareto-print.ru

Знак информационной продукции (Федеральный закон № 436-ФЗ от 29.12.2010 г.) (0+)

ПО ВОПРОСАМ РАСПРОСТРАНЕНИЯ ОБРАЩАЙТЕСЬ:

В Москве:
ООО «Издательская Группа «Азбука-Аттикус»
Тел. (495) 933-76-01, факс (495) 933-76-19
E-mail: sales@atticus-group.ru

В Санкт-Петербурге:
Филиал ООО «Издательская Группа «Азбука-Аттикус» в г. Санкт-Петербурге
Тел. (812) 327-04-55
E-mail: trade@azbooka.spb.ru

В Киеве:
ЧП «Издательство «Махаон-Украина»
Тел./факс (044) 490-99-01
e-mail: sale@machaon.kiev.ua

www.azbooka.ru; www.atticus-group.ru